MON PREMIER ROMAN EN couleurs

# Fred Poulet

## enquête sur un microbe

Texte : Carole Tremblay
Illustrations : Philippe Germain

## DOMINIQUE ET COMPAGNIE

# LES HÉROS

## Fred Poulet

C'est moi. Enfin, c'est
mon nom de détective.
Ne me demandez pas
mon vrai nom, il est
*top secret*. Seul le patron
est au courant de
ma véritable identité.

## Le patron

Le patron, c'est
mon père. Il est journaliste.
C'est lui qui m'a enseigné
comment poser
les bonnes questions.
Malheureusement,
il n'a pas toujours
les bonnes réponses.

## Léa
C'est la plus… la moins…
Bref, elle est dans ma classe
et on s'entend super bien.

## La grand-mère de Léa

Elle est moins mon genre que Léa. Mais pour son âge, elle est vraiment super aussi. Surtout quand elle prend soin de moi les jours où je suis terrassé par le terrible ennemi.

## Le microbe

Le traître nain!
Le minuscule scélérat!
Le microscopique monstre!
L'ennemi invisible!
Il a tout fait pour me mettre K.-O. Mais s'il croit que le célèbre Fred Poulet va se laisser abattre par un minus, il se trompe!

## Le dossier

Un courageux détective (moi) est victime d'une sournoise attaque bactériologique. Qui lui a refilé le microbe? Quel est le mobile du crime? Où sont les mouchoirs? À quelle heure doit-il prendre son sirop?

**Interrogatoires, indices, déductions:**
Fred Poulet mène l'enquête et dénonce les coupables!

## CHAPITRE 1

# Jeudi, 7 h 28 min 37 s

J'ouvre un œil. Ouille ! C'est difficile.

# 7 h 28 min 38 s

J'ouvre l'autre. Aïe ! C'est encore pire.

# 7 h 29 min

Je suis maintenant convaincu que
quelque chose ne tourne pas rond.
Quelqu'un m'a fait le coup
du microbe. Je ne sais pas qui,
je ne sais pas quand, mais je vais
trouver, foi de Fred Poulet.

# 7 h 33 min

Je m'assois dans mon lit. Vraiment,
ça ne va pas. Ma bouche est sèche,
mes oreilles bourdonnent, mon front
est bouillant. Mais le pire, c'est
mon nez: on dirait que quelqu'un
a mis du plâtre dans mes narines.

## 7 h 45 min

Blanc-Bec, mon souris, et moi sommes assis à la table. (Je sais bien qu'on dit une souris, mais Blanc-Bec est un mâle et j'ai peur de le vexer.) Je fais un effort pour manger la tartine que le patron m'a préparée. Pourvu qu'il ne se rende compte de rien.

Le patron, c'est mon père. C'est lui qui m'a appris à faire des enquêtes.

8

# 7 h 57 min

Je bois mon verre de lait. Chaque
gorgée m'arrache la gorge.
J'ai l'impression d'avaler des vis pointues.
Mais je ne dois rien laisser paraître.
Le patron serait capable de me faire
garder le lit, comme la dernière fois.

Si je veux effectuer mon enquête pour trouver qui m'a refilé ce méchant microbe, je dois me rendre sur le lieu du crime. Et ce lieu, ce ne peut être que l'école.

## 8 h 2 min

Je monte l'escalier à une vitesse
supersonique. Je dépose Blanc-Bec
dans sa cage. Et je redescends aussi
vite que l'éclair.

## 8 h 3 min

J'enfile mon manteau et je pars pour l'école. Je suis presque dehors… Hélas, c'est le moment que choisit le patron pour me passer une main dans les cheveux. Et c'est là que mon plan est anéanti.

À la recherche d'un nouveau plan.

## CHAPITRE 2

# 8 h 14 min

Papa a décrété que j'avais trop de fièvre pour aller à l'école. Pendant qu'il cherche une gardienne, je regarde par la fenêtre de ma chambre. Je vois passer l'autobus scolaire. Comment vais-je trouver le coupable de cette vilaine attaque bactériologique?

# 8 h 20 min

Papa téléphone à toutes
les gardiennes qu'il connaît.

# Pamela

C'est la voisine d'en face. Ses ongles
horriblement longs me font peur.
Par bonheur, elle a rendez-vous
chez le dentiste.

## Josée

Elle s'occupait de moi
quand j'étais petit.
Elle garde déjà
deux bébés qui ont
la varicelle. Non merci.

## Roger

Le menuisier mal chaussé. (Il est
toujours en sandales, hiver comme
été.) Pas de chance, il est en vacances
au Mexique et papa trouve que c'est
trop loin pour qu'il m'y conduise.

# 9 h 1 min

J'essaie de convaincre papa
que je peux rester tout seul.

Ma proposition est refusée.

**9 h 8 min**

J'apprends de source sûre
que le patron abandonne
les recherches
d'une gardienne.

# 9 h 10 min

Papa téléphone finalement au journal
pour annoncer qu'il va travailler
à la maison. Après tout, il peut faire
des entrevues par téléphone et
envoyer son texte par courriel.

# 9 h 16 min

Papa monte à ma chambre pour m'annoncer qu'il va rester avec moi. (Comme si je ne le savais pas déjà…) Sur un plateau, il m'apporte les trois quarts du contenu de la pharmacie.

DU SIROP
CONTRE LA
TOUX

DE
L'ASPIRINE

DES GOUTTES
POUR LE NEZ

UNE GROSSE
BOÎTE DE
MOUCHOIRS

DES
PASTILLES
POUR LA
GORGE

UN
TUBE DE
DENTIFRICE
( PAPA EST
PARFOIS )
DISTRAIT

Je commence mon enquête!

## CHAPITRE 3

# 9 h 22 min

Après m'avoir forcé à absorber
toutes ces substances toxiques,
il descend à son bureau. Je me retrouve
seul avec Blanc-Bec. Je saute aussitôt
du lit et je commence mon enquête.

Comme je ne peux pas me rendre
sur le lieu du crime pour chercher
des indices, je vais être obligé de faire
tout le travail dans ma tête.

Je dresse d'abord une liste
des personnes que j'ai vues
se moucher dernièrement.

## 10 h 50 min

Je me réveille avec ma liste de noms
collée sur le front. Mon crayon, lui,
a roulé sous le lit. Recenser les gens
qu'on a vus se moucher est encore
plus endormant que de compter
les moutons. Surtout après
deux cuillerées de sirop. L'ennemi

a vraiment frappé fort. Raison de plus pour le trouver et le dénoncer publiquement.

# 11 h 2 min

Je poursuis mon enquête.

Peut-être que j'aurai plus de chances en repérant les absents.

## Lundi

Mehdi n'était pas là. Il est revenu mardi.

## Mardi

C'est Stéphanie qui était absente.

On peut donc en
conclure que Mehdi
a donné le virus
à Stéphanie qui l'a
refilé à Marie-Jeanne.
Est-ce Marie-Jeanne
qui m'aurait
contaminé?

**Mercredi**
On n'a pas vu
Marie-Jeanne
de la journée.

Je ne lui ai pas
parlé de la journée
et son pupitre est
à l'autre bout
de la classe…
Non, cette piste
n'est pas bonne.

Tentons une autre
hypothèse…

On part en expédition.

## CHAPITRE 4

### 12 h 24 min

Le patron se rappelle que l'heure du dîner existe. Il me propose d'aller à l'épicerie avec lui, vu qu'il n'a rien prévu pour midi.

## 12 h 57 min

Mon père réussit à me faire mettre
un nombre incroyable de vêtements,
sous prétexte qu'il ne faut pas que
j'attrape froid. Habillé comme ça,
je pourrais partir en expédition
au pôle Nord et revenir en sueur.
Par bonheur, ma cagoule cache
mon visage et je peux sortir
incognito.

# Liste des vêtements que je suis obligé de porter : 15 morceaux en tout !

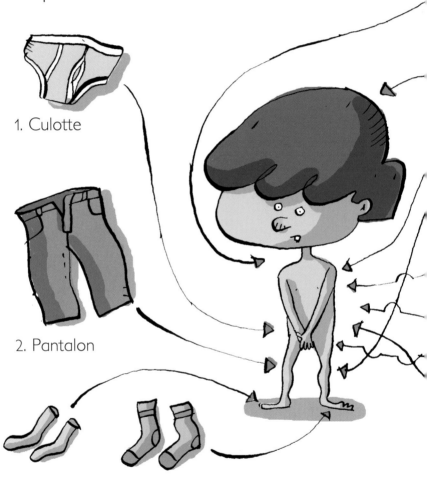

1. Culotte

2. Pantalon

3. Deux paires
de chaussettes (4)

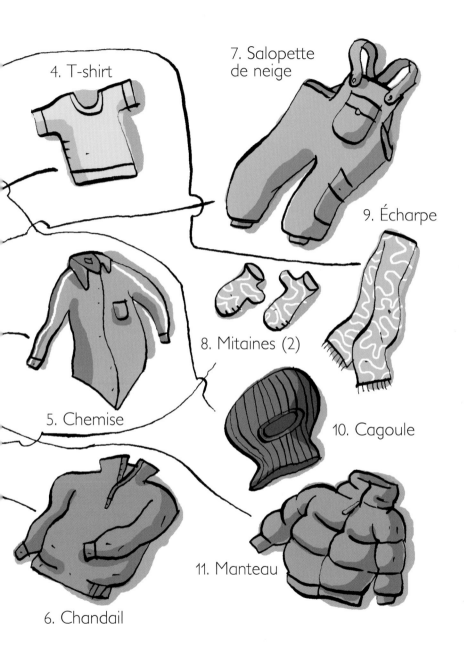

4. T-shirt

7. Salopette de neige

9. Écharpe

8. Mitaines (2)

5. Chemise

10. Cagoule

6. Chandail

11. Manteau

## 13 h 16 min

On arrive à l'épicerie. Et j'ai le choc de
ma vie. Léa est là, avec sa grand-mère,
au rayon des poissons surgelés. Léa,
c'est la plus… c'est la… Enfin, bref, Léa,
elle est très… Disons que c'est de loin
la fille la moins bête de la classe. Et
je pèse mes mots, un par un. Ouf! J'ai
chaud avec mes 15 pièces de vêtement.
J'ai l'impression que quelqu'un a installé
un micro-ondes dans ma salopette.
Je n'ose pas enlever ma cagoule.
S'il fallait qu'elle me reconnaisse alors
que je suis habillé de façon ridicule…
Mais pourquoi n'est-elle pas à l'école?

34

**13 h 17 min**

Je change d'allée à la vitesse grand V
et je me plonge dans la contemplation
des pâtes. Spaghetti, macaroni, fusilli,
lasagne, tortellini, penne. J'apprends
leurs noms par cœur.

# 13 h 19 min

Léa et sa grand-mère apparaissent
au coin de l'allée avec leur panier.
Et savez-vous ce que fait Léa?

Elle se mouche!!! Elle l'a! Elle l'a,
elle aussi! Elle a donc été victime, tout
comme moi, du méchant donneur
de virus! Nous devons découvrir
le coupable et le punir. Quand
les gens vont-ils apprendre à tousser
dans le creux de leur coude?

Par la moustache de Sherlock Holmes!

**CHAPITRE 5**

# 13 h 19 min 3 s

Mon père me donne un coup de coude et lance:

— Eh, Nicolas, ce n'est pas une fille de ta classe, là-bas? (Bon, ça y est, vous savez mon nom.) Léa me regarde.

— Nicolas? demande-t-elle, étonnée. C'est toi?

Le patron retire ma cagoule.
Je me retrouve les cheveux dressés
sur la tête, le visage aussi rouge
qu'un piment (rouge), le nez qui coule,
le front humide et l'air stupide
par-dessus tout ça.

**13 h 20 min**

Je jure intérieurement de ne plus
jamais parler à mon père
jusqu'à la fin de mes jours.

## 13 h 20 min 4 s

Léa s'approche de moi.

– Tu as le rhume, toi aussi?

– Ouais, et je voudrais bien savoir
qui m'a refilé ça…

– Euh… C'est peut-être moi qui
te l'ai donné, l'autre jour, quand
je t'ai offert de partager mon jus.

Par la moustache de Sherlock
Holmes! C'est donc elle, la coupable!

# 13 h 20 min 30 s

Je réfléchis. Si Léa est coupable,
je suis son complice car j'ai accepté,
de mon plein gré, de partager son jus.
Je sais bien que ce n'est pas une idée
de génie de boire avec la paille
de quelqu'un d'autre. Mais quand c'est
Léa, on dirait que ce n'est pas pareil…

41

## 13 h 22 min

Pendant que Léa et moi, nous parlons microbe, mon père et sa grand-mère font connaissance. La grand-mère de Léa offre à mon père de me garder le reste de l'après-midi, le temps qu'il aille au journal terminer son travail. De toute façon, vu qu'on est malades tous les deux, on ne risque plus de se passer le virus.

## 13 h 23 min

J'embrasse mon père au rayon
des pâtes tellement je suis content.

## 14 h 12 min

Je suis chez Léa. Dans sa chambre, il y a un ordinateur et, juste dessous, il y a une cage. Elle s'appelle Blanche-Neige, sa souris. Dans son cas, on peut dire une souris, parce que c'est une femelle.

Léa et moi, on s'est mouchés ensemble tout l'après-midi. C'était vraiment extra d'avoir le rhume avec elle. On dirait que même le sirop était moins mauvais.

# Vendredi, 7 h 28 min

Je suis réveillé par un drôle de bruit.
Ça me prend du temps à l'identifier.
Au début, je pense que c'est
une trompette. Finalement, je comprends
que c'est mon père qui se mouche.

   J'ai presque honte. Embrasser
son père, comme je l'ai fait hier,

ce n'est vraiment pas une bonne idée
quand on a le rhume…

Il faudra que je reste à la maison
pour m'en occuper. J'espère que Léa
sera encore malade. Et que
sa grand-mère me demandera
de la garder.

À moins que sa grand-mère aussi
ne soit contaminée… Bah! Tant pis!
Je la garderai, elle aussi!

FIN
de la première
enquête

Catalogage avant publication
de Bibliothèque et Archives
nationales du Québec et
Bibliothèque et Archives Canada

Tremblay, Carole, 1959-, auteure

Fred Poulet enquête sur un microbe
Texte de Carole Tremblay ; illustrations de
Philippe Germain.

(Mon premier roman en couleurs)

Édition originale : ©2005

Pour enfants de 6 ans et plus.

Publié en formats imprimé(s) et
électronique(s).

ISBN 978-2-89785-205-4
ISBN numérique 978-2-89785-221-4

I. Germain, Philippe, 1963-, illustrateur.
II. Titre.

PS8589.R394F72 2018    jC843'.54
C2017-942711-3    PS9589.R394F72 2018

Gestionnaire de projet : Mathilde Singer
Conception graphique : Nancy Jacques
Correction : Françoise Robert

Droits et permissions : Barbara Creary
Service aux collectivités :
espacepedagogique@
dominiqueetcompagnie.com
Service aux lecteurs : serviceclient@
editionsheritage.com

Dépôt légal : 1er trimestre 2018
Bibliothèque et Archives
nationales du Québec
Bibliothèque et Archives Canada

Les éditions Héritage /
Dominique et compagnie
1101, avenue Victoria
Saint-Lambert (Québec) J4R 1P8
Téléphone : 514 875-0327
Télécopieur : 450 672-5448
dominiqueetcompagnie
@editionsheritage.com
dominiqueetcompagnie.com

Imprimé au Canada

Nous reconnaissons l'aide financière
du gouvernement du Canada.

Nous reconnaissons l'aide financière
du gouvernement du Québec par
l'entremise du Programme de crédit
d'impôt – SODEC – Programme
d'aide à l'édition de livres.

Nous remercions le Conseil des arts
du Canada de l'aide accordée
à notre programme de publication.

Financé par le
gouvernement
du Canada

# À pas de loup

## Kino, l'étoile du soccer
# Le ballon volé

Texte : Gilles Tibo
Illustrations : Jean Morin

Je m'appelle Kino et j'adore le soccer.
Aujourd'hui, en revenant du parc, je
rencontre mon amie Alicia. Les larmes
aux yeux, elle pleurniche:
— Snif... Kino! Quelqu'un a volé mon
beau ballon tout neuf!
— Quoi? Mais c'est épouvantable!
— Oui! Snif! C'est terrible! répond
Alicia en sanglotant.

Je tente de consoler mon amie en lui prêtant
mon ballon, en lui offrant du chocolat…
Mais elle continue de pleurer. Je réfléchis
un peu, puis je dis :
— Alicia, je suis le meilleur détective du monde !
Je vais le retrouver, moi, ton ballon !

Nous nous installons sur un banc. Je sors
un calepin de ma poche et je commence
mon enquête :
– Ton ballon avait-il des signes particuliers ?
– Oui ! Snif… J'avais dessiné dessus un
petit cœur rouge.
– Où était-il, la dernière fois que tu l'as vu ?
– Dans la cour arrière de ma maison, snif…
– As-tu des ennemis ?
– Non, snif…
– Ton ballon, lui, avait-il des ennemis ?
– Non, snif… Il était tout neuf !

4

Alors, je lui pose la question fatale :
–Tu ne l'aurais pas oublié quelque part ?
Dans ta chambre ? Chez une amie ?
À l'école ? Au parc ?
–Non, snif… Il était dans la cour et il
est disparu. Quelqu'un l'a volé, c'est sûr !

Je décide de visiter les lieux du drame. En route vers la maison d'Alicia, nous rencontrons le grand Patou. Il nous demande pourquoi nous avons l'air si triste. Alicia lui explique la tragédie.

– Mais c'est épouvantable ! s'exclame le grand Patou.

Je poursuis mon enquête dans la cour,
chez Alicia. De loin, elle me montre l'endroit
exact où se trouvait son ballon. Je m'approche
avec une loupe. Dans l'herbe, je vois
l'empreinte toute ronde qu'il a laissée...

Pendant que je réfléchis, Phila s'amène.
Alicia et Patou lui racontent la catastrophe.
— Mais c'est odieux! s'écrie Phila.

Ali et Rico arrivent dans la ruelle pour jouer
au soccer avec nous. Lorsqu'ils apprennent
la mauvaise nouvelle, ils s'écrient en même temps :
—Mais c'est trop malhonnête ! Si nous attrapons
ce voleur de ballon, nous... nous... nous...

Pendant que toute la bande cherche à se venger
du voleur inconnu, moi, j'essaie de comprendre...
Mais plus je réfléchis, moins je comprends.
Mon cerveau surchauffe !

Je vais rejoindre mes amis :
—Bon ! Pour retrouver le ballon d'Alicia,
nous devons unir nos forces !
—Justement, moi, je suis très fort, répond Patou.
—Moi, je suis très habile, dit Phila.
—Moi, je suis très rapide, lance Ali.
—Moi, je suis très intelligent, prétend Rico.
—Moi, je veux juste retrouver mon ballon avec
un cœur rouge dessiné dessus, ajoute Alicia.

Après avoir parlé, discuté, papoté pendant vingt-six minutes, nous décidons ceci : nous allons fouiller les cours et la ruelle de fond en comble.
–Rendez-vous ici même, dans une heure !
Bonne chance, tout le monde !
–Merci ! Merci ! Merci, les amis, s'écrie Alicia.

Nous nous dispersons dans
six directions. Moi, pendant
une heure, je scrute les
recoins de la ruelle. Je trouve
toutes sortes de choses
intéressantes : un vieux réveil,
un vieux râteau, un vieux
ceci, un vieux cela… Mais
je ne trouve pas le ballon
d'Alicia. J'espère que mes
amis, eux, le trouveront !

16

Au bout d'une heure de fouilles intensives,
chacun revient, tout heureux, les bras chargés
d'objets : des fers à repasser, de vieux bâtons
de hockey, une roue de vélo, des livres usagés
remplis de mots même pas usés...
Alicia demande :
–Et mon ballon ?
–Oups ! Pas de ballon !

Nous déposons tous les objets
trouvés dans une grosse boîte
de carton. Nous nous assoyons
en rond et nous discutons comme
des bons. Soudain, Rico déclare :
– Nous avons cherché partout
à l'extérieur. Maintenant,
il faudrait chercher à l'intérieur
des maisons !

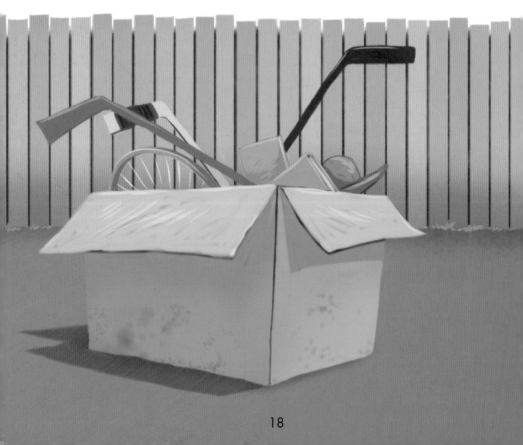

18

–Mais on ne peut pas fouiller
toutes les maisons de la rue !
répond Phila.
–Non, mais nous pouvons sonner
à toutes les portes, pour nous
renseigner !

Alors, tous ensemble, comme un bataillon,
nous montons sur les balcons, nous grimpons
et descendons des escaliers en tire-bouchon,
nous sonnons à toutes les portes et nous posons
toujours la même question à nos voisins
et voisines :
– Bonjour, madame ! Bonjour, monsieur !
Auriez-vous vu un beau ballon noir et blanc
avec un petit cœur rouge dessiné dessus ?

Et partout, partout, partout, la réponse est la même :
—Non ! Non ! Non ! Non ! Non ! Non !

Découragés, nous revenons vers la ruelle en
marchant à la queue leu leu. Soudain, j'aperçois
une tache noire et blanche derrière une haie.
J'approche et je constate que… Oh non !
C'est le ballon. Il est tout dégonflé !

Alicia, les larmes aux yeux, s'empare de la chose.
Puis, à tour de rôle, nous l'examinons.
– Regardez, ici, il y a des égratignures !
– Et là, on peut voir un peu de bave !
– On dirait des marques de morsures !

–Oui, pas de doute, ce sont des trous causés
par les canines d'un chien !
–Donc, le coupable n'est pas un vrai voleur !
–Alors, c'est Médor, le chien du voisin,
soupire Alicia.

Elle laisse tomber le ballon dans une poubelle.
Elle nous remercie. Puis, la tête basse,
elle retourne chez elle.

Pendant qu'Alicia s'éloigne à petits pas, moi,
je regarde la grosse boîte remplie d'objets
hétéroclites, et… et… il me vient une idée géniale !
Je demande à toute la bande de s'approcher.
Je leur chuchote mon secret.
– Oui ! Ouii ! Ouiii ! Ouiiii ! Quelle bonne idée !
s'exclament mes amis.

Nous emportons la boîte de carton sur
le trottoir devant ma maison. Nous déposons
sur une table tous les objets trouvés, puis
nous les vendons aux passants. Après seulement
une heure, nous avons presque tout vendu...
Nous sommes riches !

Nous allons chercher Alicia chez elle.
Nous lui bandons les yeux avec un foulard.
Ensuite, nous l'emmenons au magasin de sport.
Une fois sur place, nous lui enlevons son
bandeau. Je lui annonce joyeusement :
—Tu peux choisir le ballon que tu veux !

Tout heureuse, Alicia choisit le plus beau du rayon. Puis, à la surprise générale, elle sort de sa poche un stylo rouge et se met à dessiner…

Sur son nouveau ballon, il y a maintenant
six cœurs avec tous nos noms à l'intérieur !

## As-tu lu bien attentivement?

C'est ce qu'on va voir...

Essaie de répondre aux questions suivantes.

**1. Où Alicia a-t-elle vu son ballon pour la dernière fois?**
a) Au parc près de chez elle.
b) Dans la ruelle derrière sa maison.
c) Dans sa cour arrière.

**2. Lequel des amis d'Alicia affirme qu'il est rapide?**
a) Patou.
b) Rico.
c) Ali.

**3. Où Kino trouve-t-il le ballon dégonflé?**
a) Sous un balcon.
b) À côté d'une clôture.
c) Derrière une haie.

**4. Combien y a-t-il de membres dans ce groupe d'amis?**
a) Cinq.
b) Six.
c) Sept.

Tu peux vérifier tes réponses en consultant le site Internet des éditions Dominique et compagnie, à: www.dominiqueetcompagnie.com/apasdeloup.

À cette adresse, tu trouveras aussi des informations sur les autres titres de la collection, des renseignements sur l'auteur et l'illustrateur et plein de choses intéressantes!

## Collection À pas de loup / À grands pas

**Tu as aimé cette histoire ?**
**Tu as envie de lire une autre aventure de Kino et ses amis ?**

Voici les autres titres de cette série.